GILBERT DELAHAYE
MARCEL MARLIER

martine

au zoo

casterman

Martine, Jean et Patapouf sont venus passer l'après-midi au zoo.

À la grille, les visiteurs font la queue. La cloche sonne.

C'est l'heure de l'ouverture.

Au zoo sont rassemblés toutes sortes d'animaux qui vivent sur terre,

dans l'eau et dans les airs. Il y en a des quatre coins du monde :

de l'Océanie, de l'Afrique, de l'Asie, de l'Amérique.

D'abord, voici la lionne et ses lionceaux. La lionne est la femelle du lion, le roi des animaux. Elle aime beaucoup s'amuser avec ses petits.

Un coup de patte par-ci :

– Celui-ci s'appelle Folly.

Un coup de patte par-là :

– Et celui-là, Gamin, parce qu'il fait des sottises.

Il faut toujours lui tirer les oreilles. Mais en grandissant, il deviendra raisonnable comme son père. N'est-ce pas qu'il est mignon ?

Bouffi, l'hippopotame, a des ennuis.

– Je vois ce que c'est, se dit Patapouf. Il a trop mangé.

Il est lourd ! lourd ! Il ne peut plus sortir de l'eau.

– Pensez donc, dit un moineau en se posant sur le bord du bassin.

Il dort trop ! Et pourtant, regardez comme il bâille.

– Il a peut-être mal aux dents, ajoute Patapouf.

Grincheux, l'ours polaire, est occupé à prendre son bain d'eau glacée :

– Comme il fait chaud !

Il s'approche en levant le museau pour ne pas renifler de travers :

– Vous ne trouvez pas ?... Bien sûr, l'eau n'est pas mauvaise, mais, quand même, là-bas, dans le pays où je suis né, la banquise, c'était chic... Et tranquille avec ça !

– Grincheux n'est jamais content, dit le dromadaire. Moi, je trouve que tout va bien. Je n'ai pas à me plaindre. Le soleil, c'est de la joie pour tout le monde. Ah ! mes petits, si vous saviez, le désert, les mirages, c'était bien joli ! Et pourtant, ici, on se plaît. On promène les enfants toute la journée. Je trouve cela très amusant !

Maman guenon a beaucoup de mal avec ses petits singes.

Pif est turbulent :

– Veux-tu t'asseoir ici ! dit la maman.

Paf est tellement gourmand !

– Ne mange donc pas tant de cacahuètes !

Pouf est encore plus drôle.

– As-tu fini de te balancer ? Ne vois-tu pas que tout le monde

te regarde ?

– Pauvre girafe, se dit Patapouf, elle a grandi trop vite ! C'est pour cela qu'elle a un aussi long cou.

– Est-ce un géant ? demande une petite fille à sa maman.

Comment fait-on pour lui dire quelque chose à l'oreille ?

Petitdoux, Saitout et Long Nez sont les noms des trois éléphants
du zoo.

Ils sont toujours ensemble : le papa, la maman et le petit éléphant.

Petitdoux aime beaucoup les friandises. Saitout, sa maman, connaît
beaucoup de choses. Papa Long Nez est le plus fort.

Sa peau est dure comme le cuir ; sa trompe, souple comme un serpent. Il s'est baigné dans les fleuves de l'Asie. Il a chassé le tigre. Il a voyagé. Il a traversé l'eau, le feu, la forêt. Il a renversé des arbres d'un coup d'épaule. Il a commandé le troupeau pendant plusieurs années. C'est un patriarche.

Quel est cet animal ?

– Il a une jolie robe. On dirait qu'il revient du carnaval. Est-ce un cheval ? demande Martine.

– Mais non. C'est un zèbre, répond Jean. Il ressemble à celui du dictionnaire.

– Il s'appelle Fury, dit le gardien.

Le zèbre est intelligent comme le chien, vif comme le vent, courageux comme le lion.

Aujourd'hui, on célèbre le mariage de Monsieur et Madame
Pingouin. Les Manchots, leurs amis, ont revêtu leur costume
de cérémonie.

Comme ils sont en avance, ils bavardent en attendant les invités.

– On dit que c'est un beau mariage.

– Vous croyez qu'il y aura beaucoup de monde ?

– Mais bien sûr, cher ami. Il y aura Madame Otarie, Monsieur Morse
et les fils Phoques.

– Mon grand-père est né en Australie ; ma grand-mère aussi,
et mon cousin de même, dit Madame Kangourou.

Elle remue fièrement ses grandes oreilles :

– Nous sommes de la famille des Marsupiaux. Un joli nom,
n'est-ce pas ?

Elle s'assied sur sa queue :

– Voyez-vous, mes petits sont dans ma poche. C'est tellement
pratique. Ainsi, ils n'iront pas se faire écraser chez les éléphants.

Dans l'aquarium habite Coquette, la tortue des mers du Sud.

Un poisson ne nage pas mieux qu'elle.

Elle en dirait des choses, la tortue, si elle pouvait parler ! Elle a vu, près du troisième cocotier de l'île aux Pirates, le trésor de Félix le Magnifique. Il y avait là dix sabres ornés de rubis, des colliers de perles fines, des pièces d'or et trois barils de poudre à canon.

Marquis, le marabout, n'est pas content.

– Ces grues à aigrette sont vraiment trop bavardes. Et coquettes
avec ça ! Regardez-moi ces chapeaux à la mode !

Il hausse les épaules :

– Allez-vous-en !… Allez-vous-en !…

– Partons, ma chère, dit Duchesse, la grue.

– Vous avez raison ; Marquis est insupportable.

– Et malpoli !

– Adieu, monsieur !

– Qui, dit l'aigle, peut se vanter de regarder le soleil ? La chouette, ma cousine ? Elle voyage la nuit. Mon neveu, le grand duc ? Il est aussi poltron qu'un lièvre. Il habite dans une vieille tour remplie de toiles d'araignées… Moi, j'ai contemplé la neige éternelle. Je suis le roi de la montagne.

– Ces oiseaux sont vraiment curieux, dit Martine. Il est écrit

Échassiers sur la pancarte.

– Ce sont des flamants roses.

– Comment font-ils pour tenir sur leurs jambes ?

– Est-ce qu'elles ont une rallonge ; ou bien les plie-t-on en deux ?

pense Patapouf.

Voici un flamant rose qui ouvre ses ailes toutes grandes. Peut-être

va-t-il s'envoler ?

– Je crois plutôt qu'on va lui prendre ses mesures, dit un petit singe

pour rire.

Mais un après-midi au zoo est vite passé. Déjà le gardien agite sa cloche en criant dans les allées :

– On ferme… On ferme…

Martine, Jean et Patapouf ont appris beaucoup de choses aujourd'hui. Pourtant, il reste encore à voir les tigres, les loups, les bisons, les autruches, les serpents, les crocodiles, etc.

Eh bien, il faudra revenir une autre fois. Ce qui prouve qu'on n'a jamais fini de s'instruire.

http://www.casterman.com
D'après les personnages créés par Gilbert Delahaye et Marcel Marlier / Léaucour Création.
Achevé d'imprimer en avril 2011, en Italie par Lego. Dépôt légal : août 1985; D. 1985/0053/111.
Déposé au ministère de la Justice, Paris (loi n° 49.956 du 16 juillet 1949 sur les publications destinées à la jeunesse).
ISBN 978-2-203-10113-5